HISTOIRES DRÔLES

Tome 15

Texte : Jeanne Olivier

Illustration de la couverture :
Philippe Germain

HISTOIRES DRÔLES No 15

Conception graphique de la couverture : Philippe Germain

Photocomposition : Reid-Lacasse

Dépôts légaux: 4e trimestre 1995
Bibliothèque nationale du Québec
Bibliothèque nationale du Canada

ISBN: 2-7625-8396-9   Imprimé au Canada

LES ÉDITIONS HÉRITAGE INC.
300, Arran, Saint-Lambert (Québec) J4R 1K5
(514) 875-0327

*À tous ceux et celles
qui aiment collectionner,
écouter et raconter des blagues.*

— J'ai lu une drôle d'annonce dans le journal ce matin.

— Qu'est-ce qu'elle disait?

— «Gros chien pitbull à vendre. Mange de tout et aime beaucoup les enfants»!

* * *

Deux astronautes sont en orbite autour de la Terre. L'un d'eux sort de la navette pour une petite expédition dans l'espace. Après une dizaine de minutes, il veut rentrer mais trouve la porte barrée. Il frappe. Pas de réponse. Il frappe encore, un peu énervé. Pas de réponse. Il se met alors à tabasser la porte de toutes ses forces! Il entend alors la voix de son copain à l'intérieur, qui demande :

— Qui est là?

* * *

Qu'est-ce qui est plus invisible que l'Homme invisible?

L'ombre de l'Homme invisible.

* * *

Anthony et Victor discutent de vélo :

— Alors, dit Victor à son copain, comment te débrouilles-tu à bicyclette?

— Pas mal du tout! J'ai réussi à faire trois fois le tour du bloc tout seul! Et toi?

 — Oh! moi? Je fais beau-coup de progrès!

— Ah! oui? Tu es capable de te tenir sur deux roues tout seul maintenant?

— Non, pas encore, mais quand je tombe, je ne me fais presque plus mal!

* * *

Quel est le mois le plus court?
Le mois de mai : il n'a que trois lettres.

* * *

La prof : Mylène, si je te donne trois bonbons aujourd'hui et que je t'en donne cinq autres demain, combien en auras-tu en tout?

Mylène : Dix.

La prof : Mais non, voyons!

Mylène : Oui, oui. Parce que j'en ai déjà deux!

* * *

Le prof : L'oxygène a été découvert en 1783.

Philippe : Ah oui? Qu'est-ce que les gens respiraient avant?

* * *

Un passager entre dans l'autobus et dit au chauffeur :

— Je me demande bien pourquoi vous placez un horaire du trajet dans l'abribus! De toute façon, vous êtes toujours en retard!

— Cher monsieur, comment feriez-vous pour savoir que l'autobus est en retard s'il n'y avait pas d'horaire?

* * *

7

— Est-ce que ça t'ennuie, ce que je te raconte?

— Non, non. Mais n'oublie pas de me réveiller quand tu auras fini.

* * *

Paul : Jean, as-tu demandé à ton copain qu'il arrête de m'imiter?

Jean : Oui, ne t'inquiète pas. Je lui ai demandé d'arrêter de faire l'imbécile!

* * *

Le père : Qu'est-ce que tu as appris à l'école aujourd'hui, Louise?

Louise : J'ai appris que tous les exercices de mathématiques que tu as faits pour moi hier soir étaient mauvais!

* * *

Que se disent deux clowns au restaurant? Bouffons!

* * *

Zarah et Charlie se promènent en train :

— Regarde à gauche, dit Zarah, il y a une belle forêt!

— Où ça?

— Juste là, regarde par la fenêtre.

— Non, je ne la vois pas, il y a trop d'arbres qui me cachent la vue!

* * *

Au restaurant :

— Garçon, pouvez-vous m'apporter un verre d'eau, s'il vous plaît?

— Bien sûr, monsieur. C'est pour boire?

— Non, c'est pour m'entraîner à la nage synchronisée...

* * *

La mère : Tu es gentille de tricoter des mitaines pour notre voisine qui est à l'hôpital.

Jasmine : Sais-tu si à cause de son accident ils vont devoir lui couper un bras?

La mère : Mais non! Pas du tout, voyons donc! Pourquoi tu me poses une question pareille?

Jasmine : Ben, parce que j'aurais eu besoin de tricoter juste une mitaine...

* * *

Qu'est-ce qui est bleu, blanc et rouge?
Un schtroumpf qui saigne du nez!

* * *

Richard rentre à la maison après l'école tout sale et complètement mouillé.

— Mais qu'est-ce que tu as fait! s'écrie sa mère.

— Ben... je suis tombé dans une flaque d'eau.

— Avec ton beau pantalon neuf!

— Mais maman, je n'ai pas eu le temps d'en mettre un autre...

* * *

— Sais-tu ce qui est le plus dur quand on apprend à faire du patin à roues alignées?

— Non.

— L'asphalte!

* * *

On me remplit chaque matin et on me vide chaque soir, et une seule fois par année on me remplit le soir et on me vide au matin. Qui suis-je?

Un bas.

* * *

— Sais-tu pourquoi les abeilles ne piquent jamais les policiers?

— Non.

— Parce que piquer c'est voler!

* * *

Nicholas arrive à l'école en pleurant :
— Qu'est-ce qui se passe? lui demande son professeur.
— En marchant pour venir à l'école snif... un gros coup de vent a fait s'envoler ma boîte à lunch!
— Pauvre toi! Et qu'est-ce que tu avais pour dîner?
— Un vol-au-vent!

* * *

Sam : Il fait froid aujourd'hui, hein?

Dany : Je comprends!

Sam : C'est pour ça que tu as mis tes combines?

Dany : Hein! Comment as-tu deviné que j'avais mis mes combines ce matin?

Sam : Très facile. Tu n'as pas mis tes pantalons!

* * *

Deux nigauds décident de pousser un édifice. Ils enlèvent leurs manteaux, les laissent par terre derrière eux et se mettent à pousser de toutes leurs forces.

Un voleur s'approche d'eux sans bruit et part avec leurs manteaux.

Quelques minutes plus tard, un des deux nigauds se retourne et dit à son copain :

— Wow! On a poussé l'édifice tellement loin qu'on ne voit même plus nos manteaux!

* * *

— Je connais un instrument de musique vraiment pas gêné.

— Ah! oui, lequel?

— La harpe, c'est un piano tout nu!

* * *

— Connais-tu le meilleur moyen d'attraper un lapin?

— Non.

— Tu imites le bruit d'une carotte!

* * *

— Ahhhh! J'aimerais assez ça gagner le million!

— Mais pour quoi faire?

— Pour ne rien faire, justement!

* * *

— Qu'est-ce que tu fais avec une règle dans ton lit?

— C'est pour savoir si je dors profondément!

* * *

14

— Mon réveille-matin est brisé.

— Pauvre toi, alors il ne te donne jamais plus la bonne heure!

— Mais oui, deux fois par jour!

* * *

— Ma meilleure amie, c'est une jumelle.

— Et comment tu fais pour la reconnaître?

— Bof, c'est facile! Son jumeau est beaucoup plus grand qu'elle!

* * *

Quelle est la différence entre un lever de soleil et un coucher de soleil?

Une journée!

* * *

— Sais-tu pourquoi les chiens shitsu ont le nez plat?

— Non.

— Parce qu'ils courent après des autos stationnées!

* * *

Au restaurant :

— Garçon! Il y a un maringouin dans ma soupe!

— Ah! ben, ça c'est bizarre! D'habitude, ce sont des mouches!

* * *

Le prof : Quel est le fruit du poirier?
Samuel : La poire.
Le prof : C'est ça. Et le fruit du pommier?
Samuel : La pomme.
Le prof : Très bien! Et celui de l'abricotier?
Samuel : La brique.

* * *

Au restaurant :

— Garçon! il y a une mouche dans ma soupe!

— Bof, ce n'est pas très grave, madame. Regardez la belle araignée sur votre pomme de terre, elle va s'en occuper!

* * *

— Sais-tu pourquoi les chiens passent leur temps à se gratter?

— Non.

— Parce qu'ils sont les seuls à savoir où ça pique.

* * *

— Moi, j'adore faire des modèles réduits.

— Moi aussi!

— Alors tu peux comprendre la peur que j'ai eue la semaine dernière quand je suis allé en voyage et que j'ai entendu le pilote dire : Mesdames et messieurs, l'avion va décoller dans deux minutes!

* * *

Deux copines discutent :
— Est-ce que tu aimes les légumes, toi?

— Oh oui! Ma mère me dit toujours qu'il faut manger beaucoup de légumes car ça donne des couleurs.

— Peut-être, mais moi, c'est drôle, ça ne me tente pas du tout d'avoir le teint vert!

* * *

— Qu'est-ce qui est rond, rouge et qui fait bzzz?
— Je ne sais pas.
— Une cerise électrique!

* * *

— Mon voisin aime tellement la pêche qu'il a marié une femme avec des verres!

* * *

Maman chameau dit à son petit :
— Je te le répète pour la dernière fois : si tu n'es pas sage, tu n'auras pas de désert!

* * *

— Connais-tu le comble de la sécheresse?
— Non.
— C'est quand une vache donne du lait en poudre.

* * *

— Sais-tu ce qui arrive aux serpents qui boivent trop de bière?
— Non.
— Ils ont la gueule de boa!

* * *

19

Une femme qui a de longs cheveux revient du salon de coiffure.

— Chéri, dit-elle à son mari chauve, regarde comme mes cheveux ont du corps.

— Ouais. Si au moins mon corps pouvait avoir des cheveux!

* * *

Deux chiens regardent des employés de la ville installer des parcomètres. L'un dit à l'autre :

— En tout cas, s'ils croient que je vais payer pour faire pipi, ils se mettent un doigt dans l'oeil!...

* * *

Quelle est la différence entre une fraise et une framboise?

La framboise vient juste de se faire donner une permanente!

* * *

À l'école, un invité spécial vient parler de l'Australie. Après son départ, le prof demande aux élèves :

— Qui aimerait aller visiter l'Australie?

Tout le monde lève la main sauf Nicholas.

— Nicholas, dit le prof, tu ne veux pas visiter l'Australie? Ça ne t'intéresse pas?

— Oui... mais ma mère m'a dit de rentrer à la maison tout de suite après l'école!

* * *

Pourquoi les mille-pattes ne peuvent pas jouer au hockey?

Le temps de mettre leurs patins, et la partie est déjà terminée!

* * *

Gilberto : J'imagine que tu sais compter jusqu'à 10?

Janie : Bien sûr!

Gilberto : Et est-ce que tu sais comment comptent les soldats?

Janie : Un-deux-un-deux-un-deux-un-deux.

Gilberto : Oui, c'est ça! Et sais-tu comment comptent les danseurs?

Janie : Ils disent toujours «une, deux, trois quatre, une, deux, trois, quatre»!

Gilberto : Bravo! Et maintenant, comment les pompiers comptent-ils?

Janie : Ah, ça, je ne sais pas!

Gilberto : 1, 2, 3, 4, 5, 6, 7, 8, 9, 10, valet, dame, roi!

* * *

— Est-il possible de monter en bas?
— Oui, si on enlève nos chaussures!

* * *

Chez le médecin :
— Docteur, j'ai des haricots qui me poussent dans les oreilles!
— Mon Dieu, c'est bizarre!
— Ah! oui, j'avais planté des concombres!

* * *

Comment appelle-t-on un chien qui n'a pas de pattes?
On ne l'appelle pas, on va le chercher.

* * *

Qu'est-ce qui est sur une feuille, a une tête, un oeil, un nez, une bouche, un corps, pas de jambes et rien qu'un bras?
Un dessin pas encore fini...

* * *

Deux fakirs discutent :
— Je m'en vais tantôt chez l'acupuncteur.
— Ah, chanceux!

* * *

C'est la fête de Jacinthe. Toute contente, elle demande à son frère :

— Tu m'as promis que tu me ferais une surprise pour ma fête.

— Oui, c'est vrai.

— Alors, qu'est-ce que c'est?

— La surprise, c'est que je ne te ferai pas de cadeau cette année!

* * *

Pourquoi y a-t-il des gens qui portent des
drapeaux
dans les
défilés?
Parce que
les drapeaux
ne savent
pas
marcher.

* * *

— Mon père fait une diète spéciale.

— Qu'est-ce que c'est?

— Il doit manger chaque jour un sandwich aux lames de rasoir.

— Hein! Pourquoi?

— Pour lui couper l'appétit!

* * *

Deux boulettes de viande jouaient à la cachette. Une dit à l'autre :

— Où steak haché?

* * *

Quelles sont les dernières paroles qu'a prononcées Tarzan?

Qui a mis de la graisse sur cette liane?!?

* * *

À quel moment est-ce le plus économique d'appeler son ami japonais?

Quand il n'est pas là!

* * *

Au restaurant :

— Garçon!

— Oui, madame. Que puis-je vous servir?

— Je voudrais des fautes d'orthographe.

— Mais nous ne servons pas de ça ici!

— Ah oui! Alors pourquoi en avez-vous sur le menu?

* * *

La prof : Comment naissent les poissons?

Odile : Dans des oeufs.

La prof : Et les grenouilles?

Virginie : Ce sont d'abord des têtards.

La prof : Et d'où viennent les serpents?

Aurèle : Des oeufs.

La prof : Et les oiseaux?

Ariane : Ils naissent dans des oeufs aussi.

La prof : Et les lapins, eux, d'où viennent-ils?

Jeanne : Des chapeaux de magiciens!

* * *

— Sais-tu pourquoi le Père Noël visite chaque maison le soir de Noël?

— Pour porter nos cadeaux, voyons!

— Mais non, pas du tout! C'est pour pouvoir manger des biscuits et boire du lait!

* * *

— Je suis sûre que mon fils va faire un bon médecin.

— Pourquoi?

— Parce qu'il est toujours en train de briser ses crayons pour voir s'ils ont bonne mine!

* * *

Chez le médecin :

— Docteur, j'ai un problème. Je crois que j'entends des voix.

— Et qu'est-ce qu'elles disent, ces voix?

— C'est ça le problème, docteur. Je suis sourd.

* * *

Le juge : Je vous condamne à deux ans de prison pour le vol du coffre-fort de monsieur Pratte.

Le voleur : Mais monsieur le juge, je ne mérite pas une telle peine!

Le juge : Ah! non, pourquoi?

Le voleur : C'est vrai que j'ai cambriolé monsieur Pratte mais son coffre-fort était vide!

* * *

Le prof : Dans la dernière dictée, vous avez fait trop de fautes! Je suis vraiment très désappointé!

Javier : Mais monsieur, si on ne faisait pas de fautes, à quoi serviraient les dictées?

* * *

— Qui exerce le métier le plus dangereux?
— Je ne sais pas.
— Le dentiste de Dracula!

* * *

Un voleur entre un soir chez monsieur et madame Dubé. Il prend un crayon, dessine un grand rond par terre et dit au couple :

— Vous allez vous tenir debout dans ce rond pendant que je cambriole la maison et pas question de sortir du cercle pour aller téléphoner à la police sinon... je tue votre chien! Est-ce que c'est assez clair?

Monsieur et madame Dubé se taisent et entrent dans le cercle. Le voleur remplit son sac de toutes les choses précieuses qu'il trouve et se sauve.

Madame Dubé demande alors à son mari :

— Mais veux-tu me dire qu'est-ce que tu avais à rire tout bas pendant tout ce temps-là?

— Hi! Hi! Je ris parce que pendant que le voleur était là, je suis sorti trois fois du cercle, j'ai mis deux fois la main sur le téléphone et le voleur n'a même pas tué le chien!

* * *

— La natation est le meilleur sport pour rester mince.

— Ah oui? As-tu déjà vu une baleine?

* * *

— Connais-tu l'histoire de l'éléphant qui marchait dans un champ de pommes de terre?

— Non.

— Il a inventé les patates pilées...

* * *

Deux employés de la ville sont en train de réparer un trou dans la rue.

— Ah non! dit l'un des deux. Je viens de briser ma pelle!

— Bof! c'est pas grave! Appuie-toi sur le camion!

* * *

Une voiture s'arrête à une intersection. Un piéton qui attend l'autobus dit à l'automobiliste :

— Votre moteur fait beaucoup de bruit!

— Quoi?

— Je dis : Votre moteur fait beaucoup de bruit!

— Pardon?

— VOTRE MOTEUR FAIT BEAUCOUP DE BRUIT!

— Parlez plus fort s'il vous plaît, mon moteur fait beaucoup de bruit!

* * *

Laurie et Cécile sont contentes de se retrouver après le long congé des fêtes.

— Moi, cette année, j'ai donné deux cadeaux à ma soeur pour Noël.

— Ah oui! Lesquels?

— Une paire de mitaines!

* * *

— Comment s'appelle la mère de la médecine?

— Je ne sais pas.

— La mère Curochrome.

* * *

Toc! Toc! Toc!

— Qui est là?

— Tom.

— Tom qui?

— Tomate!

* * *

— Mon coiffeur a une drôle de méthode.

— Qu'est-ce qu'il fait?

— Il raconte toujours des histoires d'horreur à ses clients.

— Pourquoi?

— Il dit que ça fait dresser les cheveux sur la tête et que son travail est alors beaucoup plus facile!

* * *

— Pourquoi les gens gourmands aiment les orages?

— Je ne sais pas.

— Parce qu'ils raffolent des éclairs!

* * *

33

Quelle différence y a-t-il entre un avion et une gomme?

La gomme colle, l'avion décolle!

* * *

La prof : Quelle est la note de musique la plus malade?

Carl : Fa bémol.

La prof : Pourquoi?

Carl : Parce qu'elle vaut mi.

* * *

Quel est le comble des combles?

Un muet qui dit à un sourd : «Un aveugle nous espionne»!

* * *

— Comment va le directeur de ta chorale?

— Ah! Ne m'en parle pas! Il a fait un arrêt du choeur!

* * *

— Sais-tu quel bruit ça fait quand deux vampires se donnent un bec?

— Non.

— Ça fait «aoutch»!

* * *

Chez le médecin :

— Docteur, ça va mal. Chaque matin, en déjeunant, je suis atteint d'une très grande douleur.

— À quel endroit exactement?

— Juste ici, en haut du nez, entre les deux yeux.

— Je vois ce que c'est!

— Oh! oui, docteur? S'il vous plaît, dites-moi ce que je peux faire!

— Eh bien, vous pourriez peut-être essayer de penser à enlever la petite cuillère de la tasse quand vous prenez votre café!

* * *

Comment peut-on diviser également cinq pommes entre six personnes?

En faisant de la compote!

* * *

Un clown va visiter son médecin :
— Docteur, il y a des jours où je me sens tout drôle...

* * *

Au restaurant :
— Que désirez-vous?
— Je prendrais deux oeufs, s'il vous plaît.
— Bien sûr, comment les voulez-vous?
— Un à côté de l'autre.

* * *

Madame Kangourou : Ouf! J'espère qu'il ne pleuvra pas aujourd'hui! Je suis assez tannée que les enfants jouent à l'intérieur!

* * *

Henri vient de recevoir sa première paire de lunettes chez l'optométriste.

— Docteur, vous me promettez qu'avec ces lunettes-là je vais être capable de lire au tableau, de lire le journal, de lire le nom des rues?

— Absolument!

— Wow! C'est fantastique! Je suis juste en maternelle!

* * *

— Hé! Regarde! Ton chien est en train de lire le journal!

— Non, non! Il fait semblant. En réalité il ne sait pas lire, il regarde juste les photos!

* * *

— Dans quelle bouteille est-il absolument impossible de mettre du jus de légumes?

— Euh... je ne sais pas.

— Dans une bouteille pleine!

* * *

Le bébé éléphant : Maman, je viens de perdre une défense!

Maman éléphant : C'est tout à fait naturel, mon petit. C'était une défense de lait!

* * *

L'optométriste : Monsieur, vous avez besoin de lunettes.
Le patient : Mais j'ai déjà des lunettes!
L'optométriste : Oups! Dans ce cas-là, c'est moi qui ai besoin de lunettes!

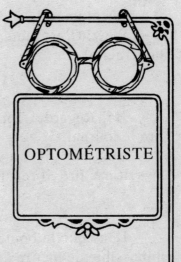

OPTOMÉTRISTE

* * *

Michel entre au restaurant avec sa copine Christiane. Ils ont tous les deux une faim de loup.

— Bonjour, dit le serveur, je dois vous dire tout de suite qu'il me reste juste un plat du jour.

— Hon! C'est donc dommage! Pauvre toi, Christiane, qu'est-ce que tu vas manger?

* * *

Quelle heure était-il quand l'éléphant est tombé sur la bicyclette?

Il était l'heure de la réparer!

* * *

— Connais-tu la différence entre un bébé et les freins d'une auto?

— Non.

— Il n'y en a aucune. Quand les deux crient, c'est le temps de les changer!

* * *

Lison : Regarde mon beau chat, je viens de l'avoir.

Lana : Oh! qu'il est mignon! Comment il s'appelle?

Lison : Je ne sais pas. Il n'a pas encore voulu me le dire!

* * *

— Mon Dieu qu'il fait noir ce soir!
— Ah tu trouves? Moi je ne vois rien!

* * *

— Est-ce que ton père aime la musique?
— Avec son métier, il n'a pas le choix.
— Pourquoi? Qu'est-ce qu'il fait?
— Il travaille dans une mine, alors il passe ses journées dans le «rock»!

* * *

Deux copains discutent :
—Étonne-moi. Dis quelque chose d'intelligent!

* * *

Quelle est la chose qu'il faut absolument éviter de faire quand on rencontre un cannibale affamé?

Lui donner la main!

* * *

— Qu'est-ce que tu fais avec toutes ces ampoules brûlées?

— C'est pour éclairer ma chambre noire.

* * *

— Connais-tu la blague du poulet?
— Non.
— Elle est bonne à s'en lécher les doigts!

* * *

Toc! Toc! Toc!
— Qui est là?
— Lace.
— Lace qui?
— Lace igale et la fourmi!

* * *

Louis : Maman, je suis désespéré! Tu sais, le grand Tremblay, il m'a dit que la prochaine fois qu'il me verrait, il me mettrait son pied au derrière. Qu'est-ce que je devrais faire?

La mère : J'ai juste un conseil à te donner. La prochaine fois que tu aperçois le grand Tremblay, assois-toi au plus vite!

* * *

Le père : Simon, combien de fois il va falloir que je te le dise! Ferme la porte, il fait froid dehors!

Simon : Ha! Et si je ferme la porte, tu crois vraiment qu'il va faire moins froid dehors?

* * *

La prof : Carlos! Tu aurais dû être ici ce matin à 8 h 30!

Carlos : Pourquoi? Est-ce que j'ai manqué quelque chose d'intéressant?

* * *

Comment fait-on pour capter les postes de télé de la Floride?

On met une orange au bout de l'antenne!

* * *

Quelles sont les lettres qui rendent l'atmosphère polluée?

G-P-T.

* * *

Alexis arrive à l'école un matin avec un pied dans le plâtre.

— Pauvre toi! lui dit son ami Denis.

— Ce n'est rien, ça! Mon frère, lui, il ne sera pas capable de s'asseoir pour au moins deux semaines!

* * *

— Quel est le mot que tout le monde prononce mal?

— Je ne sais pas.

— Mal!

* * *

— Quelle est la différence entre le journal et la télévision?

— Je ne sais pas.

— C'est difficile d'écraser une mouche avec la télévision!

* * *

44

CLIC !

Ça c'est un beau sourire !

Pas de danger de le perdre,
si tu tournes la page !

La mère : Arrête tout de suite d'écrire sur le mur, c'est sale!

Le fils : Mais non, maman, j'écris des noms propres!

* * *

Roxane et Raoul se promènent dans la jungle quand ils entendent un rugissement effrayant. Ils se regardent avec inquiétude puis voient surgir au loin un lion. Roxane sort vite un soulier de course de son sac à dos et l'enfile. Elle en sort un deuxième et le met aussitôt.

— Mais Roxane, dit Raoul, pourquoi tu mets des souliers de course? Tu sais bien que le lion court bien plus vite que toi de toute façon!

— Mais ce n'est pas pour courir plus vite que le lion, c'est pour courir plus vite que toi!

* * *

Au restaurant :

— Garçon! Qu'est-ce que cette mouche fait dans ma soupe?

— On dirait qu'elle est en train d'essayer de sortir, monsieur!

* * *

À l'épicerie :

— Je voudrais une demi-livre de steak haché, s'il vous plaît.

— Très bien madame; et avec ça?

— Avec ça? Ben, je vais faire un pâté chinois!

* * *

La mère d'Alain a trois enfants. Un s'appelle Cric, un autre s'appelle Crac. Comment s'appelle le troisième?

Alain!

* * *

Qu'est-ce que la maman dinosaure raconte à ses petits pour les endormir?
Une préhistoire!

* * *

— Mon amoureux, il devrait s'appeler Rock.
— Pourquoi?
— Parce qu'il a un vrai coeur de pierre!

* * *

— Dis-moi, ma chérie, préfères-tu un homme intelligent ou un bel homme?
— Ni l'un ni l'autre, mon amour, c'est toi que j'aime!

* * *

La prof : Qui peut me faire une phrase pour illustrer le mot «égoïste»?

Laurence : Moi! Moi!

La prof : Je t'écoute.

Laurence : Quelqu'un qui est égoïste, c'est quelqu'un qui ne pense jamais à moi!

* * *

— Connais-tu la différence entre le café et les petits frères?

— Non.

— Il n'y en a aucune, les deux nous tapent sur les nerfs!

* * *

— Qu'est-ce qui a 34 jambes, 9 têtes et 2 bras?

— Je ne sais pas.

— Le Père Noël et ses rennes.

* * *

— Je suis allé voir ton médecin pour mon problème de poids.

— Celui qui m'avait conseillé de faire le vide dans ma tête pour mes problèmes de migraine?

— Oui, celui-là.

— Et qu'est-ce qu'il t'a dit?

— Il m'a conseillé de faire le vide dans mon réfrigérateur!

* * *

Pourquoi les éléphants ont les yeux rouges?
Pour pouvoir se cacher dans les champs de fraises!

* * *

Toc! Toc! Toc!

— Qui est là?

— La bine.

— La bine qui?

— La bine fait pas le moine!

* * *

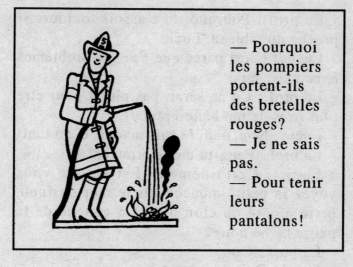

— Pourquoi les pompiers portent-ils des bretelles rouges?
— Je ne sais pas.
— Pour tenir leurs pantalons!

* * *

La mère : Marie-Claire, je vais faire une commission. Si madame Faucher appelle, dis-lui que je reviens dans une heure.

Marie-Claire : O.K. maman. Et si elle n'appelle pas, qu'est-ce que je dis?

* * *

La prof : Pourquoi tu t'assois toujours si proche du tableau, Lucie?

Lucie : C'est parce que j'ai des problèmes avec mes yeux.

La prof : Ce ne serait pas plutôt pour être plus près de ton amie France?

Lucie : Non, non. Je suis myope, c'est tout!

La prof : Peux-tu me le prouver?

Lucie : Certainement. Est-ce que vous voyez la petite mouche sur le mur du fond, juste à côté du clou planté à gauche de la petite tache noire?

La prof : Oui.

Lucie : Ben moi, je ne la vois pas!

* * *

— Quel est l'arbre le plus frileux?
— Je ne sais pas.
— Le sapin.
— Pourquoi?
— Il garde toujours ses épines!

* * *

— Ouache! Je viens de trouver un petit ver dans ma salade!

— T'es chanceux!

— Pourquoi?

— Tu aurais pu trouver la moitié d'un ver dans ta salade!

* * *

— Quelqu'un m'a dit que tu avais consulté plusieurs médecins pour des examens du cerveau mais qu'ils n'ont rien trouvé!

* * *

Un soir, pendant son spectacle, un magicien vraiment maladroit manque son coup et scie réellement son fils en plusieurs morceaux.

Sa femme, qui entend la nouvelle à la télévision, accourt à l'hôpital.

— Où est mon fils! Où est mon fils! crie-t-elle à l'infirmière à l'urgence.

— Chambres 207, 208 et 209...

* * *

En plein milieu de la nuit, Valérie tombe de son lit. Elle remonte et se rendort aussitôt. Une demi-heure plus tard, bang! elle tombe une seconde fois.

— Heureusement que je suis remontée dans mon lit, sinon je me serais tombée dessus!

* * *

Quel
est
l'animal
qui
chante
le
plus
haut?

La
girafe!

* * *

— Sais-tu ce que veut dire «coïncidence»?
— Ah ben, ça c'est drôle! J'allais justement te demander la même chose!

* * *

Quelle est la meilleure façon de téléphoner à l'Abominable Homme des neiges?
En faisant un interurbain!

* * *

Deux souris de laboratoire discutent :
— J'ai enfin réussi à entraîner mon chercheur.
— Ah oui! Comment?
— Eh bien, chaque fois que je traverse le labyrinthe et que j'appuie sur le bouton, il me donne un morceau de fromage!

* * *

Quel est le commencement de l'univers?
La lettre u.

* * *

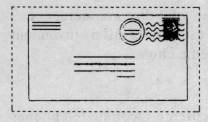

Que dit
l'enveloppe
au timbre?
Je te trouve
pas mal collant!

* * *

Monsieur Laurin rentre à la maison l'air très énervé et dit à sa femme :

— J'ai failli me faire renverser par une voiture! J'ai eu tellement peur! En tout cas, je l'ai échappé belle! Un pied de plus et c'est un mort qui te parlerait en ce moment!

* * *

— Ma mère vient de trouver un emploi à vie.
— Quoi donc? Elle va travailler pour le gouvernement?
— Non, le zoo l'engage pour tricoter des foulards aux girafes.

* * *

— Qu'est-ce que tu gardes même quand tu le donnes?

— Je ne sais pas.

— La grippe!

* * *

— Moi, mes deux voisines aiment le rock.

— Ah oui? Et je suppose que tu les appelles les rock voisines!

* * *

Monsieur Demers s'en va jouer au casino. Soudainement, il pousse un cri, se prend le ventre à deux mains et tombe sans connaissance!

Un homme qui se trouvait à côté dit à sa femme :

— Ça m'a tout l'air d'une crise d'angine!

— Ah! tu crois? Je te parie un jeton de dix dollars qu'il fait une crise de foie!

* * *

Lucie, Alberto et Véronica sont en camping. Ils ont passé une journée infernale! Les maringouins ne les ont pas laissés en paix une seule seconde! Lucie est convaincue que, maintenant que la noirceur est arrivée, il n'y aura plus aucun problème, les moustiques vont se coucher.

— Ah oui? s'exclame Alberto en voyant arriver une horde de mouches à feu. Ben j'ai l'honneur de t'annoncer qu'ici, les maringouins ont des lampes de poche!

* * *

Comment s'appelle le plus mauvais vendeur russe?

Ivan Pafor.

* * *

— Qu'est-ce qui ressemble comme deux gouttes d'eau à une moitié de pomme?

— Je ne sais pas.

— L'autre moitié!

* * *

Le lendemain d'une grosse inondation, tout le monde en parle à l'école.

— Chez nous, c'est effrayant! Il y avait au moins 30 centimètres d'eau dans le sous-sol.

— Tu devrais voir chez nous! Dans la cave, tous mes jeux sont en décomposition totale!

— C'est drôle mais chez moi, il n'y a aucun signe d'inondation!

— Hein! Chanceux! Comment ça se fait?

— Ça doit être parce que j'habite juste à côté de l'usine d'essuie-tout!

* * *

Maxime a rendez-vous chez le médecin :

— Maxime, je crois qu'il est primordial que tu changes complètement ton alimentation. Alors j'aimerais que tu cesses de manger de la charcuterie, des fromages gras, des grignotines, tous les gâteaux et biscuits. Plus de bonbons, ni de boissons gazeuses, ni d'arachides; et surtout pas de crème glacée!

— Mon Dieu, docteur, est-ce que je vais pouvoir continuer à me ronger les ongles?

* * *

À l'arrêt d'autobus :

— Ne va pas trop loin, dit la maman escargot à sa fille! L'autobus passe dans deux heures!

* * *

Comment s'appelle le meilleur concierge hongrois?

Ipas Lebalè.

* * *

Peter prend des cours de français. Il entend son professeur dire à un élève :

— Mon cher, vous êtes vachement avancé dans vos devoirs!

Peter retient cette phrase et s'en retourne à la maison. Sur le chemin, il rencontre une jeune fille du cours qui lui plaît pas mal. Il décide de lui parler et de lui faire un compliment.

— Ma chère, je voulais te dire...

Mais rien ne sort! La fameuse phrase du prof ne lui est malheureusement pas restée en tête. Après avoir fait travailler sa mémoire pendant une minute, ça y est! ça lui revient!

— Ma chère, reprend-il, je voulais te dire que je te trouve gentille comme une vache!

* * *

Quelle est la différence entre un éléphant indien et un éléphant africain?

Environ 5000 kilomètres!

* * *

61

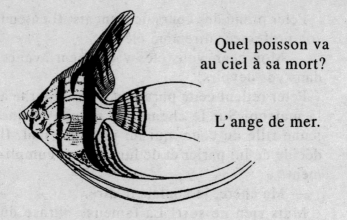

Quel poisson va
au ciel à sa mort?

L'ange de mer.

* * *

Au magasin, Rod s'achète un foulard.
— Combien ça coûte?
— Le foulard est 45 dollars.
— 45 dollars! Mais c'est aussi cher qu'une
paire de jeans!
— Peut-être, mais vous auriez l'air pas mal
fou avec des jeans autour du cou!

* * *

Sur le bord de la mer, un petit garçon court à toute vitesse.

— Police! Police!

— Qu'est-ce qui se passe? lui demande un agent qui se trouvait tout près.

— Vite! Il y a un cadavre nu sur la plage!

— Est-ce qu'il s'agit d'un homme ou d'une femme?

— Euh... je ne sais pas. Les crabes ont tout mangé ce qui les différencie!

* * *

Le prof : Si c'est toi qui chantes, tu dis «Je chante». Si c'est ton père qui chante, que dis-tu?

L'élève : Je dis «Arrête»!

* * *

Le client : Combien ça coûte par question?

L'avocat : C'est cent dollars. Deuxième question?

* * *

Stéphane entre dans le bureau de l'infirmière de l'école :

— J'ai un problème.

— Qu'est-ce que c'est? lui demande l'infirmière.

— Eh bien, chaque fois que je me lève et que je me rassois à mon pupitre, je fais un petit bruit... qui pourrait être un genre de petit pet... mais ça ne sent rien du tout par exemple!

— Bon, on va voir ça. Viens t'asseoir et te lever à quelques reprises à mon bureau.

Stéphane fait ce que lui demande l'infirmière et, en effet, laisse sortir à chaque fois un petit gaz.

— Alors, vous avez entendu? demande-t-il à l'infirmière. Qu'est-ce que vous dites de ça?

— Je dis que tu as un grave problème d'odorat! répond l'infirmière en se bouchant le nez.

* * *

Chez le directeur du cirque :

— Monsieur, j'ai un numéro formidable à vous présenter!

— Qu'est-ce que c'est?

— J'imite un oiseau.

— J'ai déjà vu ça cent fois! Vous mangez des vers de terre, c'est ça?

— Non.

— Vous vous envolez par la fenêtre?

— Non plus.

— Alors qu'est-ce que vous faites?

— J'imite le coq et je fais se lever le soleil!

* * *

Madame Chapleau : Moi, la dernière fois que j'ai été malade, je me suis fait soigner par un homéopathe.

Madame Chicoine : Ah bon! Moi quand j'ai fait ma crise de foie, je suis allée voir un nommé Latendresse.

* * *

Deux ballons se promènent dans le désert. L'un dit à l'autre :
— Attention! un cac-tusssssssssssssssssssss...

* * *

Qu'est-ce que les gens peuvent faire mais qu'on ne peut pas voir?

Du bruit!

* * *

Chez le médecin :

— Docteur, tout le monde me traite comme un chien.

— Mais voyons donc! Premièrement, ce sont des idées que vous vous faites. Deuxièmement, qui vous a permis de monter sur mon fauteuil avec vos pattes sales?

* * *

— Savais-tu que ça prend quatre moutons pour faire un chandail de laine?

— Hein? Je n'étais même pas au courant que les moutons savaient tricoter!

* * *

L'infirmière : Arrêtez de crier, je ne vous ai même pas encore piqué.

Le patient : Je le sais, mais vous m'écrasez l'orteil!

* * *

— Sais-tu combien ça prend de nigauds pour faire du maïs soufflé?

— Non.

— Cinq.

— Comment ça?

— Un pour tenir le chaudron, quatre pour brasser le poêle.

* * *

— Dans un moment il y en a deux; dans une minute il y en a une. Qu'est-ce que c'est?

— Je ne sais pas.

— La lettre M.

* * *

La prof : Où est-ce qu'on trouve les pommes?

Thérèse : Dans un pommier.

La prof : Très bien! Et où trouve-t-on les poires?

Jean : Dans les poiriers.

La prof : C'est bien! Et les dattes?

Sylvie : Dans les calendriers!

* * *

— Qu'est-ce que les extraterrestres mettent sur leurs rôties le matin?

— Je ne sais pas.

— Objet collant non identifié!

* * *

Le prof d'éducation physique :

— Vous êtes tous prêts pour la randonnée en forêt? Alors écoutez bien. Personne ne doit sortir du sentier, vous pourriez vous blesser. Si l'un de vous ne m'écoute pas et se casse une jambe, je ne veux pas le voir courir vers moi en pleurant!

* * *

Pourquoi, au baseball, le lanceur lève toujours une jambe?

Parce que, s'il levait les deux, il tomberait!

* * *

Un jeune garçon qui veut apprendre le français se promène dans la rue et écoute les gens. Il croise un homme qui dit à son fils : Si tu veux m'aider à enlever la neige, tiens bien le manche de pelle! Le petit garçon répète dans sa tête : manche de pelle. Un peu plus tard, il entend un homme demander à sa femme : Viens-tu avec moi acheter des graines à l'animalerie, c'est pour ma perruche. Le petit garçon retient : pour ma perruche. La femme répond : Non, je te laisse y aller tout seul.

Le garçon est bien content de sa journée. Il est fier de tout ce qu'il a appris en français. En s'en retournant chez lui, un policier l'arrête pour l'interroger :

— Comment t'appelles-tu?

— Euh... Manche de pelle.

— Tu veux rire de moi? Pour qui tu me prends?

— Pour une perruche.

— Eille toi! Veux-tu aller en prison?

— Non, je te laisse y aller tout seul!

* * *

Deux voisins discutent :

— J'ai passé une fin de semaine formidable à la chasse!

— As-tu attrapé quelque chose?

— Oui, un chevreuil et cinq panous.

— Mais qu'est-ce que c'est des panous?

— Ce sont de petites bêtes qui se cachent derrière les arbres en criant toujours : Non, panous, panous!

* * *

Monsieur Chien : Je suis malheureux!

Monsieur Hibou : Pourquoi?

Monsieur Chien : Ma femme est chienne.

Monsieur Hibou : Moi, ça va plutôt bien, ma femme est chouette!

* * *

Quel est le comble pour une poire?
Tomber dans les pommes!

* * *

— Maman! tout le monde me dit que j'ai des grands pieds!

— Mais non, mon chéri. Enlève tes souliers et va les ranger dans le garage!

* * *

— Qui, demande le prof, peut me dire quel est le vrai nom du petit doigt?

— C'est l'auriculaire, répond Guy.

— Oui, c'est ça. Et pourquoi porte-t-il ce nom-là?

— Moi je le sais, dit Andrée. C'est parce qu'on le met souvent dans l'oreille.

— Très bien. Maintenant, dit-il en montrant son index, comment s'appelle ce doigt-ci?

— Le nez-culaire, répond Juan, parce que c'est là qu'on le met le plus souvent!!

* * *

Comment font les éléphants pour descendre des arbres?

Ils s'assoient sur une feuille et attendent l'automne!

* * *

Dans la salle d'opération :
— Docteur, dit le patient, je vous ai reconnu, vous pouvez enlever votre masque!

* * *

— Je me sens seul de ces temps-ci. J'ai l'impression que personne ne s'intéresse à moi.
— J'ai un excellent truc pour toi.
— Ah oui! Lequel?
— Essaie de manquer l'école un jour ou deux. Je te garantis que le directeur va penser très fort à toi!

* * *

Qu'est-ce que monsieur Pieuvre dit au père de sa future épouse?

Je vous demande les mains de votre fille.

* * *

Pourquoi il vaut mieux ne pas aller dans la jungle entre midi et treize heures?

Parce que c'est à cette heure-là que les éléphants descendent des arbres.

* * *

Pourquoi les alligators ont la tête plate?

Parce qu'ils se sont promenés dans la jungle entre midi et treize heures!

* * *

Quelle est la différence entre une fraise et mon frère qui apprend à conduire?

Aucune. Les deux se retrouvent dans le champ!

* * *

Comment s'appelle le plus grand boxeur russe?

Ydonn Débaf.

* * *

Quelle est la lettre de l'alphabet la plus mouillée?
O.

* * *

Un éléphant et une souris marchent un à côté de l'autre dans la savane. La souris change de côté et dit :

— Bon, c'est à mon tour maintenant de te cacher du soleil!

* * *

Toc! Toc! Toc!
— Qui est là?
— C.
— C. qui?
— C. les vacances qui commencent!

* * *

Deux voisins discutent :

— Ton chien a encore jappé toute la nuit. Tu sais que c'est un signe de mort!

— Ah oui? La mort de qui?

— Celle de ton chien, s'il recommence une autre nuit!

* * *

— Si tu échappes un chat en parfaite santé dans la mer Morte, comment en sort-il?

— Je ne sais pas.

— Mouillé!

* * *

Simon et Simone sont à la maison. Un train passe. Simon et Simone sont morts et on trouve par terre à côté d'eux de la vitre et de l'eau. Comment expliquer ce mystère?

Simon et Simone sont des poissons rouges!

* * *

Pour un professeur, qu'est-ce qui est plus dur à supporter qu'un élève qui parle tout le temps?

Deux élèves qui parlent tout le temps!

* * *

En revenant de l'école, Justin rencontre son pire ennemi.

— Ah! te voilà, toi! dit-il en lui prenant le collet dans la main. Je peux dire qu'il y a un super imbécile au bout de mon bras!

— À quel bout, répond l'ennemi?

* * *

Monsieur Beauregard dit au cambrioleur :

— Enfin! vous voilà, vous! Ça fait des années que ma femme me réveille toutes les nuits en me disant qu'il y a un voleur dans la maison!

* * *

— Connais-tu la blague de l'assiette?
— Non.
— Ce n'est pas grave, elle est pas mal plate!

* * *

Que se disent deux chiens qui se rencontrent à Tokyo?
Jappons!

* * *

Pourquoi le squelette n'a plus de peau?
Parce que s'il en avait, ce ne serait pas un squelette!

* * *

Deux millionnaires font de la bicyclette ensemble. L'un d'eux tombe et s'écorche le genou.
— Vite! s'écrie-t-il, allez m'acheter un hôpital!

* * *

Toc! Toc! Toc!
— Qui est là?
— Riz.
— Riz qui?
— Riz ra bien qui rira le dernier!

* * *

— Sais-tu quel est le légume préféré des Inuit?
— Non.
— La laitue iceberg!

* * *

— Je viens de trouver un fer à cheval!
— Chanceux! Il paraît que ça porte bonheur!
— Même si je l'ai trouvé parce qu'il m'est tombé sur la tête?

* * *

79

— Savais-tu
que les phoques
savent lire?

— Hein?
Je ne te
crois pas!

— Oui, oui, je te le dis!
— Et comment ils apprennent?
— Avec l'alphabet Morse?

* * *

— Connais-tu la blague du soleil?
— Non.
— Elle est juste au-dessus de ta tête!

* * *

Jean-Yves téléphone en catastrophe à l'hôpital :

— Vite! dites-moi quoi faire! Mon père vient de tomber la tête la première dans une ruche!

— Gardez votre calme et emmenez-le tout de suite à l'urgence! On va lui faire une petite piqûre!

* * *

Toc! Toc! Toc!
— Qui est là?
— Sara.
— Sara qui?
— Sara lentit!

* * *

— Sais-tu pourquoi les chiens regardent à gauche et à droite avant de traverser la rue?
— Non.
— Parce qu'ils ne peuvent pas regarder des deux côtés en même temps!

* * *

Paul : Alexandra, es-tu capable de dire
«bonjour en chinois»?

Alexandra : Non, toi?

Paul : Absolument!

Alexandra : Ah! oui? Dis-le donc!

Paul : Bonjour en chinois!

* * *

Deux copains s'en vont visiter la Louisiane.

— C'est l'endroit idéal pour trouver des
souliers de crocodile, dit l'un d'eux. Allons
nous promener dans le bayou.

Ils s'installent sur le bord de l'eau et attendent.

— Tiens-toi prêt, dit son copain. Aussitôt
qu'on aperçoit un crocodile, toi tu le retiens,
et moi je lui enlève ses souliers!

* * *

— Maman! s'écrie Odile en voyant un porc-
épic pour la première fois. Regarde, un cactus
qui marche!

* * *

Un policier arrête un automobiliste qui n'a pas fait son arrêt obligatoire.

— Vous n'avez pas vu le stop, monsieur?

— Oh oui, j'ai vu le stop! Mais vous, je ne vous avais pas vu...

* * *

Deux cousines se parlent au téléphone :
— Allô! As-tu reçu ma lettre?
— Non, c'est bizarre!
— Pourtant c'est normal, je ne l'ai pas encore envoyée!

* * *

— Hé! Pourquoi tu mets de l'insecticide dans ton bain?

— C'est parce que j'ai des fourmis dans les jambes!

* * *

— Sais-tu pourquoi les petites filles n'ont pas peur des requins?

— Non, pourquoi?

— Parce que ce sont des mangeurs d'hommes!

* * *

Olivier : La nuit dernière, j'ai fait un affreux cauchemar.

Alexandre : Quoi donc?

Olivier : J'ai rêvé que je mangeais du spaghetti.

Alexandre : Mais il n'y a rien de grave là!

Olivier : Tu penses ça, toi? Quand je me suis réveillé ce matin, les lacets de toutes mes chaussures avaient disparu!

* * *

Qu'est-ce qui vole dans le ciel sans moteur?
Un cerf-volant.

* * *

Au guichet du cinéma :
— Bonjour, je voudrais un billet s'il vous plaît.
— Bien sûr, monsieur. C'est pour «Le Fugitif»?
— Non, non. C'est pour moi!

* * *

Sur le bord d'un lac, un policier crie à un homme qui se baigne :
— Monsieur! Vous n'avez pas vu la pancarte? C'est interdit de se baigner ici!
— Blop! Plouf! ... je ne me baigne pas, réussit à dire l'homme, je me noie! Splash!
— Ah bon! Dans ce cas-là, je ne vous dérangerai pas!

* * *

Une famille d'ours polaires se promène au pôle Nord.

— Maman, demande le petit dernier, est-ce que je suis un vrai ours polaire?

— Mais oui, mon petit, répond sa maman. Comme moi, et comme ton papa.

La famille continue sa promenade. Quelques minutes plus tard, le petit demande à son père :

— Papa, est-ce que moi je suis vraiment un vrai ours polaire?

— Oh oui! Tu es aussi ours polaire que moi, que ta maman et ta grand-mère, répond le père.

Le petit ours continue son chemin. Quelque temps après, il va retrouver sa grand-mère.

— Grand-maman, est-ce que je suis un vrai vrai ours polaire?

— Mais oui, mon chéri, et ton papa et ta maman aussi sont de vrais ours polaires. Mais pourquoi tu me demandes ça?

— Parce que j'ai froid...

* * *

— Qu'est-ce qui se trouve en plein milieu d'un arbre?

— Je ne sais pas.

— La lettre B.

* * *

— Tu me fais assez penser à mon copain Adam!

— Mais pourtant, je ne lui ressemble pas du tout!

— Non, mais lui aussi me doit dix dollars!

* * *

Sébastien : Je vais te raconter une histoire.

Marilène : O.K.

Sébastien : Pet et Répète sont sur un arbre. Pet tombe en bas. Qui est-ce qui reste?

Marilène : Ah! je la connais ton histoire! Si je réponds «Répète», tu vas répéter la blague sans arrêt. Alors pour te mêler un peu, je vais répondre «Pet».

Sébastien : O.K. Tu l'auras voulu!

* * *

Laure : Je commence à être pas mal tannée!

Sophie : Pourquoi?

Laure : Chaque nuit, je rêve que je suis une vache et que je mange du foin.

Sophie : Mais c'est pas bien grave! Ça peut arriver à tout le monde de faire un rêve pareil!

Laure : Ouais, peut-être... mais moi je commence à être pas mal tannée de me réveiller tous les matins avec un oreiller en moins dans mon lit!

* * *

Pourquoi le petit renne a le nez rouge?
Parce qu'il a la grippe!

* * *

Quel est l'astre qu'on peut manger?
Le croissant de lune!

* * *

Natacha : Pourquoi tu gardes tous tes jouets
de bébé?
Fanny : Ben... c'est pour mes enfants!
Natacha : Mais si tu n'as pas d'enfants?
Fanny : Alors ce sera pour mes petits-enfants!

* * *

— Est-ce que tu saurais comment faire pour
ramasser dans une flaque d'eau un billet de
trois dollars sans toucher à l'eau?
— Euh... non.
— Ah! ah! c'est impossible! Un billet de
trois dollars ça n'existe pas!

* * *

Dans la jungle, deux amis voient arriver un lion. Un des deux se dépêche à monter dans un arbre. Son copain prend son fusil et vise le lion en tremblant.

— J'espère que je vais réussir à l'atteindre, dit-il en tremblant toujours.

— Pas grave! lui dit son ami dans l'arbre. De toute façon, si tu le manques, il y en a un autre juste derrière toi!

* * *

90

— Maman! Je m'en vais jouer du piano!

— D'accord. As-tu bien lavé tes mains?

— Ce n'est pas nécessaire, maman. Je voulais juste jouer sur les notes noires.

* * *

Un touriste qui visite l'Australie demande au réceptionniste de l'hôtel :

— Comment appelle-t-on les ascenceurs, ici?

— Mais monsieur, comme partout ailleurs, on les appelle en appuyant sur le bouton!

* * *

Deux anges discutent :

— Sais-tu quel temps on annonce pour demain?

— Je crois que ça sera plutôt nuageux.

— Fiou! On pourra au moins s'asseoir!

* * *

CONCOURS

Tu dois connaître, toi aussi, de courtes histoires drôles. Alors, pourquoi ne pas nous en faire parvenir quelques-unes?

Parmi celles reçues, certaines seront retenues pour publication et l'auteur(e) recevra une surprise.

Participe le plus vite possible et envoie tes histoires drôles à :

CONCOURS HISTOIRES DRÔLES
Les Éditions Héritage inc.
300, avenue Arran
Saint-Lambert (Québec)
J4R 1K5

Nous avons hâte de te lire!

À très bientôt donc!

Tu peux également te procurer

Blagues en folie, tome I
Blagues en folie, tome II
Blagues en folie, tome III
Blagues en folie, tome IV

ACHEVÉ   D'IMPRIMER
EN   OCTOBRE   1995
SUR   LES   PRESSES   DE
PAYETTE   &   SIMMS   INC.
À SAINT-LAMBERT (Québec)